자몽씨의 일상까기

자몽씨의 일상까기

발　행 | 2024년 05월 30일
저　자 | 자몽씨
펴낸이 | 한건희
펴낸곳 | 주식회사 부크크
출판사등록 | 2014.07.15.(제2014-16호)
주　소 | 서울특별시 금천구 가산디지털1로 119 SK트윈타워 A동 305호
전　화 | 1670-8316
이메일 | info@bookk.co.kr

ISBN | 979-11-410-8530-8

자몽씨의
일상까기

자몽씨 지음

CONTENT

얼굴이 노란 아이 28

프롤로그

아주 오랜만에 그림을 그려본다. 아이 어릴 적 도화지에 함께 자동차를 그렸던 이후로는 처음인 듯하다. 영 서먹할 법도 한데 또 아무렇지 않게 그려진다. 마치 어제도 그랬던 것처럼.

"넌 3살 때부터 종이랑 연필만 있으면 혼자서도 잘 놀았어." 엄마의 기억 속 나는 얌전히 그림 그리며 시간을 잘 보내는 아이였다. 당신이 바빠 곁에 있어 주지 못할 때마다 내밀었던 종이와 연필이 나에게는 엄마를 대신해 의지할 수 있는 유일한 벗이었고, 긴 기다림을 버티게 해준 희망이었다. 한때는 만화가가 되고 싶었고, 한때는 밥 로스 아저씨를 보며 화가의 꿈을 꾸었다. 하지만 경제적인 이유를 들어 끝내 미술 전공을 반대하시던 부모님의 뜻대로 학창시절은 흘러갔고, 이후 평범한 직장인이 되었다.

그리고 한 남자의 아내로, 한 아이의 엄마로 그렇게 살아왔다. 어린 시절 결핍 때문이었을까? 아이와 최대한 많은 시간을 보내야 한다는 강박에 사로잡혀 있었다. 하지만 생각과는 달리 공놀이도 한두 시간이지... 약골 체질인 나는 체력이 남아도는 아들을 감당하기에 벅찼다. 그러던 와중에 뼈 때리는 책 육아 서적을 접하게 되면서 아이와 함께 도서관을 찾게 되었다.

시간이 지날수록 매끈한 신간의 촉감은 설렘을 느끼게 했고, 은은한 종이의 내음은 안정감과 편안함을 느끼기에 충분했다. 그렇게 도서관을 드나들기를 몇 년째, 요즘은 오롯이 나를 위해 도서관을 찾는 시간이 많아졌다.

그러다 우연히 참여하게 된 '오늘부터 나도 작가'는 잠수생 같았던 나를 깨어나게 해주었다. 그저 도서관을 자주 찾았던 수많은 회원 중 한 명일 뿐이었던 내가 작가라니!

육아로 인해 경력 단절 기간이 길어지면서 '무엇을 해볼까'에서 '난 무엇을 할 수 있을까'로 바뀌었고, 다시 세상으로 나갈 수 있을지 몹시 두려운 날들이 지속되고 있던 시기였기 때문에 더 놀라웠다.

오는 말이 고와야 가는 말도 곱다

아주 가끔 무례한 어른들과 마주하게 될 때가 있다.
스스로 인격을 깎아내리는 줄도 모르고
상대를 함부로 대하고,
배려와 예의라고는 찾아볼 수 없으며,
자신보다 어리다고 업신여기는 거만함이란;;;
상대의 기분 따위는 아웃 오브 안중
미성숙함 그 잡채
정말
불.편.하.다.

나이는 숫자에 불과하다.

겉보기에는 30대처럼 보이지만

이래 봬도 몸 나이는 78세쯤 되거든요.

반대였다면 참 좋았겠지만...

그러니까

엘리베이터 탈 때 빤히 쳐다보지 말아 주세요.

무릎이 아파 그래요.

자네,
독수리 5형제가 되어보는 건 어떤가?

"그냥 대충 버리면 안 돼?"
비닐에 붙은 스티커를 떼어내는 데만
5분째 공들이고 있는 내가 답답해 보였는지
지켜보던 남편이 입을 뗐다.
"안돼. 그러면 재활용이 안 된단 말이야."
라고 볼멘소리로 답하고는 차마 다 제거되지 못한
스티커를 가위로 잘라냈다.
대단한 환경운동가는 아니지만,
기후위기의 심각함을 몸소 체감하면서
정말 작은 것이라도 내가 할 수 있는 것에
노력을 기울이게 된 것 뿐이다.
바쁜데 언제 그러고 있냐고 반문할 수 있다.
나만 실천해봐야 소용없다 할 수도 있다.
모두가 나 몰라라 한다 해서

나도 방관자가 되는 것이 과연 맞는 걸까?

물론, 나 역시 쌓이는 먼지만큼 돌아서면 늘어나는 비
닐과 플라스틱 쓰레기가 감당이 안 되고,

물티슈는 육아하는 동안 몸과 마음의 평화를 주는 머
스트 잇템인 것을 부정할 수 없다.

하지만, 한 가지 분명한 건

변화하지 않으면

내일이 없을 수도 있다는 것.

그냥 가던 길 가시죠

나는 익숙한 물건을 오래 사용하는 편이다.
편한 옷과 신발은 물론이고, 그 흔한 볼펜조차도 예외
는 없다. 게다가 가전제품은 수명을 다하지 않는 이상
늘 그 자리를 지킨다.
어릴 적부터 우리 집은 가난했었고,
남들 다하는 내 월급 내가 쓰기는 몇번 할 수가 없었고,
각종 사고와 질병으로 병원비는 쌓이고
언제나 짊어져야 했었던 기둥의 무게
(어쩐지...자장면이 싫더라 ㅡ_ㅡ;;;;)
아껴 쓰는 것도 오래 쓰는 것도 내 맘이다.
그러니, 플리즈
짠순이라 부르는 건 노 프라블럼
참견과 빈정거림은 노 땡큐

청개구리 병

하지 말라는데 꼭 하는 사람들이 있다.

-화단에 들어가지 마세요.

-추락 위험 올라가지 마시오.

-입산 시 인화물질을 소지하지 마세요.

-담배꽁초를 함부로 버리지 마세요.

-동물에게 먹이를 주지 마세요.

-위험하오니 들어가지 마시오.

-미끄러우니 뛰지 마세요.

-이곳에 쓰레기를 버리지 마시오.

거참...드럽게 말 안 듣네.

하라는 건 안 하면서

하지 말라는 건 왜 굳이 굳이 하는 건지?

제발, 하지 말라는 건 좀 하지 말자.

아웃사촌

매일 저녁, 똑같은 멘트의 안내방송이 나온다.
'층간소음으로 인한 민원이 지속해서 들어오고 있습니다. 밤늦게 아이들이 뛰는 소리, 애완견이 짖는 소리, 악기를 연주하는 소리 등 발생에 주의하시기를 바라며 입주민 여러분들의 적극적인 협조 부탁드립니다.'

지정된 장소가 아닌 공동현관 출입구 앞에서 버젓이
담배를 피우고,
반려동물 산책시키며 배변 뒤처리는 나 몰라라,
주차장 바닥에 음료컵 고이 내려둔 채 사라지고,
냄새나는 쓰레기봉투 내 집 앞마당인 양 복도에 내려두는
무개념인 이웃
비매너는 아웃

반반

처음 보는 사람에게도 말을 잘 건다.
아줌마가 되어서 그런 줄 알았다.
친화력이 좋다는 얘기를 듣는 편이다.
쉽게 친해진다 생각했다.
나가서 사람 만나고 어울리는 걸 좋아한다.
내가 외향적인 줄 알았다.

사실은, 어색함이 싫어서였고,
보기보다 낯을 가리는 편이며
이틀 나가면 하루는 쉬는 날이 필요한 나는
E와 I가 반반인 사람

아싸 중에서는 인싸
인싸 중에서는 아싸

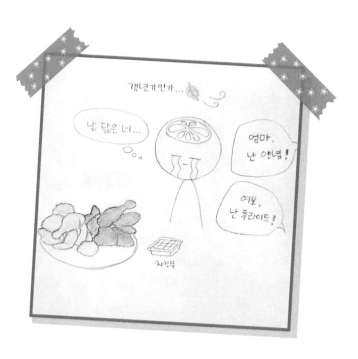

우리 이별하자

"자영업자 해봐야 얼마나 번다고~
그 집 아빠는 코빼기도 안 보이고
맨날 ㅇㅇ이네 엄마만 일하잖아.
아빠가 무슨 문제라도 있는 거 아냐?"
남의 집 숟가락 젓가락이 몇 개인지
왜 그렇게 관심들이 많은지
아이와 엮인 모임들
불편해도 싫어도 참는 것만이 답인 줄 알았다.
바보 같이...

버티기 1년, 결심은 1일
한계치는 초과. 결과치는 손절
좋은 이별이었어.

원래 그런 건 없다

초등 저학년 때 하굣길에
여자 아이들이 남자 아이들을 우르르 쫓아가며
때리는 장면을 봤다.
근처 중학교 하굣길에는
남학생의 뒤통수를 후려치는 여학생을 봤다.

"애들끼리 그러면서 크는 거죠, 뭐~"
학부모 모임 때 친구들끼리 장난이라도 서로 때리는
건 주의를 기울였으면 해서 꺼낸 이야기에 딸만 둘
키우는 엄마에게서 돌아온 답이었다.
내가 너무 예민한지 의문이 들었다.
그래도 이건 아니다.

네가 하면 불륜, 내가 하면 사랑
네가 하면 폭력, 내가 하면 장난

고구마 당신

"요즘 세상 좋아져서 여자들은 많이 편해졌지.
설거지도 건조도 다~기계가 해주지.
육아도 집안일도 남자들이 도와주고 말이야.
남자들은 예전이나 지금이나 힘든 건 똑같아.
아니, 오히려 역차별 당한다고!"

출퇴근 시간 꽉 막힌 도로처럼 답답하고
융통성이라고는 1도 없으며
조선시대에서 알을 깨고 나온 것 같은
독실한 유교 사상으로 가득 찬
그대 이름은 남.편.

얼굴이 노란 아이

옛날 옛적에

얼굴이 노리짱한 자몽씨가 살았어요.

친구들은 다들 구릿빛 주홍색인데

자몽씨만 노랬죠.

무리에 끼지 못하고 겉돌기만 하던 자몽씨는

속으로만 끙끙 앓고 자신의 목소리를 내지 못했어요.

그러던 어느 날,

그만 큰 병에 걸리고 말았어요.

병을 이겨내기 위해 이리저리 뛰어다니며

고군분투하던 자몽씨는

어느 순간 깨달았답니다.

이상한 게 아니라 다르다는 것을,

특이한 게 아니라 특별하다는 것을요.

사실 자몽씨는

조금 더 섬세하고 깊은 달콤함이 있는

스위트 자몽이었던 거였어요.

이제는 마음껏 소리 내어 말한답니다.

물론, 방구석 생각 일기지만요.

먹는 걸로 정이 난다는데

누군가 물어볼 때마다 어머님은 대답하신다.
며느리 아니고 딸이라고.

신혼 초기 때의 일이다.
하루는 삼계탕 먹으러 오라는 어머님의 호출에,
먼 거리를 출퇴근하며 맞벌이 중이었던 나는
피곤한 몸을 이끌고 마지못해 시댁에 갔다.
그날 차려진 밥상을 보고 알아차렸어야 했다.

"저도 닭다리 잘 먹을 수 있어요..."

아집

내 말이 맞고, 네 말은 틀렸다.
내 말이 옳고, 네 말은 그르다.
나는 정상이고, 네가 이상하다.
늘 이분법적인 사고

모르는 건지
모르는 척하고 싶은 건지
아는 것이 두려운 건지

언제쯤 알게될까?
틀린 게 아니라 다르다는 것을

까탈내미

"음... 엄마, 뭔가 부족한데, 혹시 마늘 안 넣었어?"
"...아!! 깜빡했다. 근데 너는 참... 귀신같이도 안다."

장금이도 아니고, 편식쟁이나 미식가도 아니다.
단지 혓바닥에 있는 미뢰가
한땀 한땀 장인의 손길로 심어놓은 듯 도드라져
의도치 않게 느껴질 뿐이다.

그때는 몰랐다.
까탈스러운 딸내미 입맛 맞추느라
애쓰셨을 엄마의 노고를...

역.지.사.지.
아... 까다롭다.

편견

하나라서 무엇이든 다 해줄 수 있겠다.
외출할 때 데리고 다니기 편하겠다.
애들이 매일 붙어 싸워대는 통에
정신이 하나도 없는데 시끄럽지 않아서 좋겠다.

물질적으로 무엇이든 다 해주지 않았고,
애미 닮아 까다로워 모시고 다녀야 했으며
절간처럼 조용한데 정신없는 건 매한가지다.

외동이라 좋은 점 하나를 꼽자면,
다른 건 몰라도 남북통일만큼이나 어렵다는
메뉴 통일이 필요 없다는 것

질색팔색

하게 되는 순간들이 있다.

종교의 자유를 무시하며 믿음을 강요할 때
남들보다 조금 더 가졌다고 온갖 척할 때
타인의 목숨을 대수롭지 않게 여길 때
자리가 권력인 줄 알고 마구 휘두를 때
때와 장소를 가리지 않고 정치색깔 드러낼 때
사회적 약자들에게 갑질할 때

너무 이른 만남

더 이상 너에게 내어줄 빈자리가 없어
제발, 나를 좀 내버려 둬.
차디찬 겨울 동안 난 너의 존재를 지웠어.
하지만, 너는 또다시 나를 찾아와
이내 흔들어 놓겠지...

오늘처럼...

그때는 몰랐는데 말이야

당신, 기억나?
연애 시작하고 얼마 안 되었을 때
사주 카페라는 곳에 간 적이 있었잖아.

사주를 본 주인장이 말하기를,
당신과 나는 둘 다 나무인데
나는 곧고 크게 쭈-욱 뻗는 소나무와 같은 나무이고,
당신은 아기자기하게 꽃과 열매를 맺는 나무라고

그때는 그러거나 말거나
마냥 좋을 때라 웃고 넘겼지.
그런데 말이야...
당신....

43

왜냐하면...

아이 어릴적에 당신이 자주 물었어.
"쟤는 왜 저렇게 잘 삐치는 거야?"
나는 조용히 건네었지...

고마해라, 마이 했다 아이가

제주 전체 면적에 27%였던 곳이
이제는 겨우 6%만 남아 있다는 곶자왈
지구상에서 유일무이
제주에만 존재하는 고유한 숲 생태계

당장 눈앞에 이익만 좇으며
마구잡이로 개발하고
좁은 땅덩어리는
온통 회색 아스팔트로 뒤덮고
누가누가 더 높이 올리나 경쟁하듯
아파트는 지어대고

갈아엎고 뚫고 헤집고...
파괴되는 것은 자연만이 아니다.
그다음은 우리 차례다.

그대라서

산의 고요함이 좋고
바람에 춤추는 사라락 소리가 좋다.
연두빛 산뜻한 4월이 좋고
비 개인 뒤 상쾌함이 좋다.
민트의 청량함이 좋고
자몽의 쌉싸름함이 좋다.
사람이 좋고
좋은 사람이어서 더 좋다.

지금 이 글을 읽고 있는 그대처럼

"나 글쓰기 못 할 것 같아. 그냥 포기할까?"

글쓰기 첫날 수업을 마치고 돌아와 좌절 모드에 빠져 아들에게 뱉은 말이었다.

엄마의 구차한 '그만두어야 할 이유'에 대해 한참이나 가만히 듣고 있던 아들의 한마디에 나는 마음을 고쳐먹고 펜을 들게 되었다.

"많이 고민되겠어요. 그런데 잘 못 해도 괜찮으니 일단, 되는 데까지 해보는 게 어때요? 정 힘들면 멈춰도 되잖아요."

성공의 반대말은 실패가 아니라 경험이라는 말이 있다. 이 도전이 성공인지 실패인지 아직 모르지만, 첫 경험을 시도하게끔 용기를 준 아들에게 이 글을 바친다.

또한 이 책을 펴내기까지 많은 응원과 도움 주신 모든 분께 감사의 인사를 전하며 이 글을 마친다.

2024.05.14. 방구석 자몽씨